S0-ALF-739

暖暖心绘本　暖暖心的礼物

送给最亲爱的宝贝

·····························

·····························

为心找个温暖的地方

儿童文学博士、作家、儿童阅读推广人　唐池子

嘘嘘！

安静一下。呼吸一下。放松一下。快乐一下。

哪怕成人的心，哪怕孩子的心，都该用诗意的想象和浪漫的故事默默地暖一暖。

为心找一个温暖柔软的地方停靠。心，该暖暖了！

有时候，心会变得太大，大得盖住了幸福，大得盖住了真实的自己，就像小苹果树一样。把心暖暖，你会发现，幸福原来就是挂在苹果树上甜蜜蜜的小苹果。

有时候，心会变得很小，小得容不下不同的声音，小得不懂得彼此欣赏，就像茉莉猪一样。把心暖暖，你会发现，与你的邻居享受一个葡萄干大蛋糕，感觉真是好极了。

有时候，心会听不到别人的需要，我们送给了大熊一大堆礼物：蜂蜜、帽子、靴子等等，我们却没能送出朋友一份诚挚的关心。把心暖暖，你会发现，关心的真正内涵是给予别人真正需要的。

有时候，心会有些困惑，不知道问题的答案在哪里，像艾米一样。把心暖暖，你会发现，每件事都有自己的答案，只要你用心去领悟。

是的，暖暖心，让自己静一静，你会发现，幸福和智慧离你并不遥远，它们其实正悄悄地藏在你的身边。

这套图画书的图画具有强烈的现代感，生活场景细节化的处理扩展了故事趣味，又进一步拉近了读者与故事的距离。绘图风格与故事主题一样，充满了浓郁的生活气息，生机勃勃。

这是一套适于亲子共读的优秀图画书。

一个长上天的大苹果

—— 学会给予与分享 ——

文 /（伊朗）哈菲兹·米拉弗特毕　　图 /（德）苏珊娜·沃琪顿　　译 / 漪　然

儿童文学博士、作家、儿童阅读推广人　唐池子　　推荐

湖南少年儿童出版社
HUNAN JUVENILE & CHILDREN'S PUBLISHING HOUSE

　　每天清晨，沉睡着的苹果树林，都在微明的晨光中苏醒。每当这些苹果树醒来的时候，它们都会在一起用沙啦沙啦的声音，聊一聊自己昨夜做的好梦。

　　"我梦见，我的枝丫上挂满了许许多多的大苹果，"一棵开满了美丽花朵的苹果树说，"孩子们唱呀，跳呀，围着我打转儿呀，每个孩子都摘到了一个苹果。不过，最妙的是，就在每个孩子摘下苹果的地方，立刻又长出了一棵完整的苹果树，然后，又从全世界的各个角落，跑来了更多的孩子，他们一起围着这棵新的苹果树，转呀，转呀……"

另一棵苹果树有些羞涩，它的花朵仿佛还沉浸在昨夜那个七彩的梦境里，闪着熠熠的光辉：

　　"我呢，梦见在一场大雨过后，我的枝头那些挂着雨点的果实，都在阳光下发出了七色斑斓的光束。远远看去，我变成了一棵灿烂的彩虹树……"

　　这些苹果树做的美梦，随着它们的窃窃私语和苹果花的香气，在树林里飘荡开去。可是，忽然间，大家都安静了下来……怎么回事呢？

　　原来，是年纪最小的那棵小苹果树，还在甜甜地做着梦。它睡得可真香呢！

大苹果树都想知道，小苹果树在梦里看见了什么。它们轻轻地摇晃着小苹果树，直到把它摇醒。当小苹果树醒来的时候，它显得又失落，又伤心。

　　"亲爱的，你在梦里看到了什么好东西，好得让你都不想醒过来了？"所有的大苹果树异口同声地问道。

　　"我的梦，是全世界最好的梦！"小苹果树说，"我，我是说，对一棵苹果树来说，是最好的梦！我梦见我的一根树枝，长啊，长啊，一直碰到了天上的云。后来，当我枝杈上的花儿落了一地的时候，我那根碰到天空的树枝上，结出了一个苹果……

　　"这个苹果长得非常非常大……大极了……最后，我的大苹果长得就和天上的太阳一样大！

　　"它多好看啊！可是，唉，真不走运，偏偏这个时候，你们把我叫醒……要是我真的能长出一个那么大的苹果，一直长到最高的天上，该多好啊！在那里，没有一个人能摘到它，也没有一只鸟儿能碰到它……"

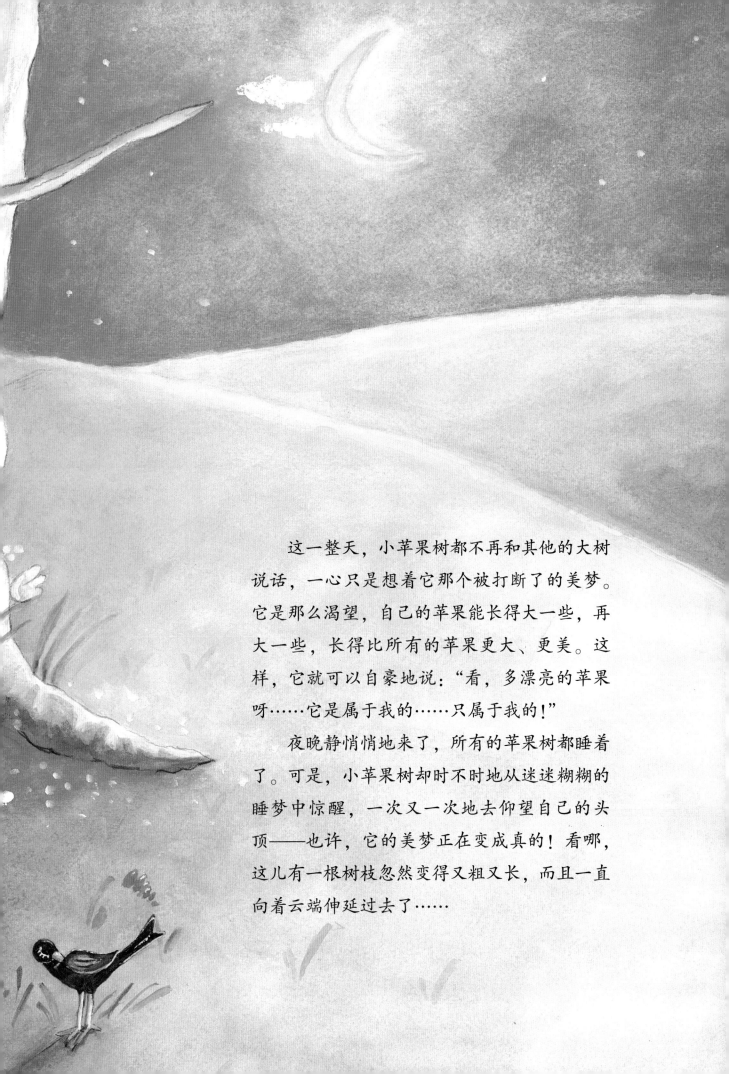

这一整天，小苹果树都不再和其他的大树说话，一心只是想着它那个被打断了的美梦。它是那么渴望，自己的苹果能长得大一些，再大一些，长得比所有的苹果更大、更美。这样，它就可以自豪地说："看，多漂亮的苹果呀……它是属于我的……只属于我的！"

夜晚静悄悄地来了，所有的苹果树都睡着了。可是，小苹果树却时不时地从迷迷糊糊的睡梦中惊醒，一次又一次地去仰望自己的头顶——也许，它的美梦正在变成真的！看哪，这儿有一根树枝忽然变得又粗又长，而且一直向着云端伸延过去了……

　　小苹果树觉得，这一定是大自然这个魔法师在暗中帮它实现自己的梦想。于是，为了要让自己那长长的树枝长得更大、更强壮，它把全身的养料都送了上去。一瞬间，它的花儿都谢了，它的叶儿都落了，除了那根最粗壮的树枝，它所有的枝干都枯萎了。

　　停留在那根长树枝上的最后一朵花，在朵朵白云上结出了一个苹果，这个苹果飞快地长啊长啊长……它长得红彤彤、圆滚滚的，而且越来越大，大得无法想象。

　　小苹果树真要怀疑自己是不是又在梦中了，这是它的苹果么？多么美妙的苹果啊！

一转眼，又是一个清晨。

可是，大苹果代替了冉冉升起的太阳。它太大了，大得挡住了其他的苹果树，让它们见不到一丝阳光。

地面上的一切都被巨大的阴影笼罩了。

那些原本盛开在苹果树下的花儿们，都垂下了头，死去了。然而，小苹果树却并不理会这些，它对自己说："那又怎么样呢？反正我已经有了一个全世界最漂亮的苹果，少几朵到处都是的野花，又有什么关系？"

大苹果还在继续长大。它的影子挡住了整个树林，那些大树的叶子都变黄了，掉光了。所有的大树都发出吱吱嘎嘎的呼救声，可小苹果树却装作根本没听见。

小苹果树对自己说："那又怎么样呢？我已经有了全世界最长的树枝和全世界最大的苹果。那些小苹果树算什么。到处都是小苹果树。可我的这个大苹果呀，全世界也绝对找不到第二个！那些苹果树都枯萎了也是一件好事，不然我都觉得害臊，它们结出的果子居然也能和我的一样——叫做'苹果'?!"

就这样，小苹果树变得目空一切。它越来越自私，整天只想着它自己的那个大苹果。

忽然间，一声山崩地裂般的巨响，传遍了天空、树林、山冈、沙漠还有整个世界：那根长长的树枝折断了，大苹果的重量已经让这根树枝难以再承受下去了。

大苹果从柔软的白云中坠落下来，落到了坚硬的褐色大地上，摔了个稀里哗啦、四分五裂。

虽然，它已经是全世界最大的苹果，可它还是会摔烂的。

　　小苹果树被从天而降的苹果压弯了腰，它变得比所有的苹果树都还要小了……

　　忽然，它醒了过来："好长的一个梦啊！"

　　原来，是早晨的阳光唤醒了它。

　　小苹果树喃喃自语："真幸运，我还是和原来一样，是所有普普通通的苹果树中的一员。"

　　于是，它轻轻地弯下枝条，让枝头一阵阵清淡的苹果花香，在来玩耍的孩子们中间飘散。

　　总有那么一天，它会为了这些孩子们，结出许多甜蜜蜜的小苹果来的。

　　是的，总有那么一天的。

学会给予和分享

在生活中，我们每一个人都在享受着别人给予的帮助和爱，那么我们自己也需要对别人有所付出，有所奉献。如果像那棵小苹果树一样，只顾自己，不顾他人，独占阳光，不懂分享，哪怕得到了世界上最大的苹果，最终也不会快乐和幸福。不过，幸好那只是小苹果树做的一个梦，当梦醒了，那棵为小朋友奉献苹果花香、让小朋友分享苹果的小树才是最开心的！

想一想

1. 每天清晨，苹果树林里的苹果树醒来都会做一件什么事情？

2. 小苹果树被摇醒之后，为什么显得又失落又伤心？

3. 在梦里，小苹果树上的那个大苹果越长越大，最后，那个大苹果怎么样了？

数一数

请你数数：下面有___个苹果。如果这些苹果都是你的，你会分给谁，怎么分呢？

试一试

和爸爸妈妈一起做一张梦想卡片，把你的梦想写在卡片上，并且告诉他们你的梦想可以为别人带来什么好处。然后，请你将卡片保存好，等你长大了，看看自己是不是实现了自己的梦想。赶快动手吧！

写给父母的话

　　亲子共读是父母与孩子之间一种良好的沟通方式，是父母对孩子进行教育的一个绝佳的途径。下面提供的几点建议，父母在同孩子进行亲子共读时可以参考。

♥ **亲子共读的时机**

　　1．配合孩子的不同状态安排适当主题的故事。

　　2．在孩子情绪良好的时候，进行亲子共读的效果较好。

　　3．安排较固定的亲子共读的时间和地点。

♥ **亲子共读的方式**

　　1．声音：用语音变化来传递故事的重点，使讲述变得生动。

　　2．肢体：让身体靠近并接触孩子，增进亲子关系。

　　3．速度：注意配合自己孩子对讲述速度的偏好。

　　4．创造力：不必完全局限于文字，可以根据图画自由发挥一下想象力。

♥ **亲子共读的基本态度**

　　1．开放活泼：让孩子可以插话、提问、澄清等。亲子共读的目的是为了了解孩子的想法和感受，帮助亲子间的沟通，避免过于严肃的说教。另外，让孩子觉得父母乐于和自己交流，也是培养孩子自尊心和自信心的好方法。

　　2．倾听和接纳：耐心了解孩子的想法，避免急于教导孩子辨别是非对错。

　　3．彼此分享：把故事和孩子熟悉的生活经验相联系，让孩子讲述自己的故事；或者将自己生活经历中相类似的故事拿出来与孩子分享，孩子们通常都乐于倾听父母的真实故事。

图书在版编目（CIP）数据

一个长上天的大苹果/（伊朗）米拉弗特毕文；（德）沃琪顿绘；漪然
译. —长沙：湖南少年儿童出版社，2008.1（2014.5 重印）
（儿童心灵成长图画书系. 暖暖心绘本）
ISBN 978 - 7 - 5358 - 3651 - 9

Ⅰ.一… Ⅱ.①米…②沃…③漪… Ⅲ.图画故事–伊朗–现代
Ⅳ.I373.85

中国版本图书馆 CIP 数据核字（2007）第 196169 号

一个长上天的大苹果

策划编辑：周　霞　　　　　　　责任编辑：周　霞
装帧设计：陈姗姗　　　　　　　质量总监：郑　瑾

出 版 人：胡　坚
出版发行：湖南少年儿童出版社
地　　址：湖南长沙市晚报大道89号　邮编：410016
电　　话：0731 - 82196340（销售部）　82196313（总编室）
传　　真：0731 - 82199308（销售部）　82196330（综合管理部）

经　　销：新华书店
常年法律顾问：北京市长安律师事务所长沙分所　张晓军律师
印　　制：湖南天闻新华印务有限公司
开　　本：889mm×1194mm　1/16
印　　张：2
版　　次：2008 年 1 月第 1 版
印　　次：2014 年 5 月第 22 次印刷
定　　价：9.80 元

Title: Vom Apfelbaum, der in den Himmel wachsen wollte
Author: Hafez Miraftabi
Illustrator: Susanne Wechdorn
Copyright © 2007 by Annette Betz Verlag im Verlag Carl Ueberreuter, Vienna–Munich
Chinese translation copyright © 2008 by Hunan Juvenile & children's Publishing House
All rights reserved.

暖暖心绘本

《一个长上天的大苹果》
学会给予和分享

《亨利爷爷找幸运》
学会感恩与知足

《大熊有一个小麻烦》
学会倾诉与倾听

《是谁在门外》
学会友善与互助